Anne Fine

Comment écrire comme un cochon

Traduit de l'anglais par
Agnès Desarthe

Neuf
l'école des loisirs
11, rue de Sèvres, Paris 6ᵉ

© 1997, l'école des loisirs, Paris, pour l'édition en langue française
© 1997, Anne Fine
Titre original : « How to write really badly »
(Methuen Children's Book's an imprint of Reed Carsume Books Ltd, Londres)
Loi n° 49.956 du 16 juillet 1949 sur les publications
destinées à la jeunesse : septembre 1997
Dépôt légal : novembre 2011
Imprimé en France par CPI Bussière
à Saint-Amand-Montrond
N° d'édit. : 17. N° d'impr. : 113333/1.

ISBN 978-2-211-04240-6

1

Le mec le plus malheureux du monde

Je ne suis pas un total handicapé du cortex. Je ne suis pas d'une bêtise intersidérale. Quand j'ai des problèmes, je ne suis pas du genre à verser une larme ou à couler du nez. Mais, je l'avoue, en jetant les yeux sur la boîte à chaussures sinistre qui était censée devenir ma nouvelle salle de classe, je n'en menais pas large. Ah ça oui, ce jour-là, j'ai vraiment été le mec le plus malheureux du monde.

— Bonne nouvelle, les enfants!

Mlle Tate a frappé dans ses mains et s'est tournée vers les rangées de têtes d'andouille qui me dévisageaient par-dessus leurs petits pupitres cradingues.

— Nous avons un nouveau cette année, a-t-elle dit. C'est merveilleux, non? a-t-elle ajouté en souriant de toutes ses dents. Le voici, parmi nous. Il vient juste d'arriver d'Amérique et il s'appelle Howard Chester.

— Chester Howard, ai-je corrigé.

Mais elle n'écoutait pas. Elle était trop occupée à chercher une place libre en étirant son pauvre cou, tel un canard qui se prendrait pour un cygne. Quant à moi, j'avais la flemme de le répéter. Je me suis dit qu'elle serait sans doute assez maligne pour choper ça avec le temps. Je me suis donc contenté de transporter mes affaires jusqu'à la table qu'elle désignait, au dernier rang.

— Ton voisin de table s'appelle Joe Gardener, a roucoulé Mlle Tate dans mon dos.

— Salut, Gardener Joe, ai-je marmonné, en m'asseyant.

C'était une blague. Mais, visiblement, il était encore plus bas de plafond que Mlle Tate.

— Non, pas Gardener Joe, a-t-il murmuré. Joe Gardener.

— D'acco-dac, ai-je dit, le cœur dans les talons.

Je crois bien qu'à cet instant j'ai pulvérisé le record du monde de haine pour une nouvelle école. J'ai déménagé autant de fois que vous avez regardé les dessins animés du soir à la télé. Je suis passé par toutes les écoles possibles et imaginables : intellos, sportives, psy-show (genre l'instit n'arrête pas de se pencher pour te regarder dans les yeux en te demandant comment tu te sens au fond de toi-même) ; j'ai même tenu quatre mois dans une école où personne ne parlait ma langue. Mais jamais je n'ai pris en grippe un établissement aussi vite que ce fichu Walbottle Manoir (ou, si vous préférez, ce fichu Manoir Walbottle).

Tu parles d'un Manoir ! D'après moi, le bâtiment a été conçu par un architecte qui en avait assez de dessiner des morgues et des abattoirs. Les murs étaient peints en marron brillant et vert brillant. (Le côté brillant ajoutait sérieusement à l'horreur des couleurs.) Les fenêtres n'avaient pas été lavées depuis 1643. Et les peintures pendues aux murs faisaient penser à autant de variations sur le thème de la mare de boue pour cochons.

Mais, bon. Le paradis sur terre, ça n'existe pas, et ailleurs, ça reste à vérifier.

J'ai donné un coup de coude à Gardener Joe.

— Alors, elle est comment?

— Qui ça?

J'ai pointé du menton vers l'estrade.

— Elle, bien sûr. La vieille bique reine du Bic.

Il m'a regardé comme si je venais d'être parachuté de la lune.

— Mlle Tate? Elle est très gentille.

À mon tour d'assister à l'atterrissage d'un extraterrestre. Mon voisin de table avait-il été frôlé par l'aile maléfique de la folie furieuse? Devant nous se tenait cette espèce de sac à vent grave de grave, qui ronronnait comme un vieux frigo en essayant de décider qui serait l'enfant de service à qui reviendrait la noble tâche d'effacer le tableau – quelle aventure, mes amis, j'en frissonne rien que d'y penser – et Gardener Joe trouvait le moyen de prendre son parti. J'ai compris à la seconde que c'était le genre d'école où les élèves font la queue gentiment, tout excités à l'idée de faire quelque chose de grand, comme d'ouvrir la porte à la maîtresse ; le genre d'école où la perspective de pouvoir se balancer sur une chaise bancale suffit à maintenir les gamins dans un état de bonheur indescriptible jusqu'à la sonnerie.

J'ai regardé ma montre.

— Six heures, ai-je murmuré, désespéré. Six longues heures à tirer!

Joe Gardener s'est tourné vers moi.

— Six heures jusqu'à quoi?

— Jusqu'au moment où je pourrai aller me plaindre à ma mère, ai-je expliqué.

— Te plaindre?

— De cette école.

Son visage s'est aussitôt chiffonné sous le coup de la stupéfaction.

— Mais pourquoi?

Et il avait raison, bien entendu. À quoi cela servirait-il de se plaindre? Ça ne menait jamais à rien. «Où elle ira, j'irai», dit toujours mon père.

— Toi, oui, c'est ta femme, tu l'as choisie, lui fais-je alors remarquer. Mais moi, pourquoi je dois souffrir comme ça?

— Ça pourrait être pire, dit-il d'un ton menaçant. Ta mère pourrait se faire licencier. Dans ce cas, on resterait coincés ici jusqu'à la fin des temps.

Cette réplique suffit en général à me clouer le bec.

— Ça va te plaire ici, m'a dit Joe. On fait beaucoup de dessin.

J'ai regardé les mares de boue pendues aux murs de la salle.

— Ah. Super.

— Et on s'amuse bien en récré.

— Vous regardez la boue sécher?

Le regard de Joe s'est figé de nouveau, terrassé par la perplexité. Puis il a ajouté :

— Et on a chorale tous les vendredis.

— Sans rire? Je ne sais pas si j'arriverai à tenir jusque-là.

Mais Joe Gardener constituait à lui

seul une sorte de zone franche dans laquelle le sarcasme n'avait pas cours.

— Moi aussi j'ai parfois cette impression, a-t-il répondu. Mais sois un peu patient et, tu verras, ça arrivera plus vite que tu ne le crois.

Ses yeux brillaient intensément, comme s'il avait été question de son anniversaire ou de Noël.

— Chorale tous les vendredis, ai-je répété. Parfait. Je n'aurai qu'à penser à ça les jours de déprime.

J'ai levé le nez pour voir où on en était dans la grande aventure du jour: l'élection de l'enfant de service chargé d'effacer le tableau.

— Bon, nous sommes tous d'accord, n'est-ce pas? disait justement Mlle Tate. Flora cette semaine, et Ben la semaine suivante.

J'imagine que lorsqu'une décision d'une importance aussi colossale est prise, il vaut mieux vérifier une dernière fois que son impact sur la marche du monde n'est pas trop violent.

– Tout le monde est d'accord?

J'aurais parié les dix millions que je n'ai pas en banque sur le fait qu'aucune tête de pioche ne trouverait à redire sur le choix de l'enfant de service; ça ou la composition des crêpes industrielles, je veux dire, tout le monde s'en fiche Mais – ouah, surprise du siècle! J'avais tort. Complètement tort.

Une main près de moi s'est élevée dans les airs.

– Mademoiselle Tate?

– Oui, mon enfant?

– Je crois que ce serait bien si Howard...

– Chester, ai-je corrigé impulsivement.

Mais Joe n'écoutait pas. Il était trop occupé à faire de ma vie une œuvre d'art.

– Si Howard était désigné comme enfant de service. Parce qu'il est nouveau. Et je crois qu'il n'est pas très sûr qu'il va se plaire ici. Il a déjà calculé qu'il a encore six heures à tenir jusqu'à...

Vous voyez mes yeux sortir de mes orbites – shponk, direct sur la table ? Mais ce qui me tuait carrément, c'est que ce clown me voulait du bien ! Il faisait ça pour être gentil !

– Jusqu'à ce qu'il puisse rentrer chez lui.

J'ai braqué sur lui tous mes rayons exterminateurs, mais rien ne pouvait l'arrêter. Il était d'une gentillesse in-décrottable.

— Alors je pense que ce serait une bonne idée de le désigner comme enfant de service.

Joe s'est rassis, satisfait.

Mlle Tate a tendu les mains à la manière d'une sainte en halo dans une peinture sacrée.

— Flora, Ben? Ça ne vous embête pas trop?

Surprise, surprise! Ben n'a pas éclaté en sanglots et Flora ne s'est pas mise à grincer des dents à l'idée qu'il lui faudrait attendre encore une semaine pour avoir l'insigne honneur d'effacer le tableau.

Et voilà, les amis. Au bout de dix minutes dans ma nouvelle classe, j'entrais en grande pompe dans mes fonctions de maître de la chiffonnette. Quelle chance, tout de même!

— Parfait! a dit Mlle Tate, rayonnante. (Elle m'a fait un sourire entendu avant d'ajouter:) On dirait que mon tableau a besoin d'une bonne toilette pour bien commencer la journée.

J'ai soupiré. Je me suis levé. Que pouvais-je faire d'autre? J'ai pris le petit bloc de bois recouvert de feutrine que me tendait Flora et je lui ai souri gentiment en réponse à son gentil sourire. J'ai nettoyé le tableau, puis j'ai reposé soigneusement le petit patin sur son support.

— Très bien, a dit Mlle Tate. Excellent. C'est du très beau travail.

À l'entendre, on aurait cru que je venais de redresser la balance du commerce extérieur.

Modestement, j'ai secoué les mains pour me débarrasser de la poussière de craie.

— Les enfants, s'il vous plaît, applaudissons Howard, qui a bien mérité de retourner à sa place après ça.

Je n'ai pas relevé. Chester. Howard. Un nom, ce n'est pas si important, après tout. Le roseau en moi, à force de ployer, avait fini par rompre ; j'étais prêt à glisser la tête dans le nœud coulant, à m'avancer sur la planche suspendue en déséquilibre au-dessus des requins affamés, et ainsi de suite : prêt à faire tout ce qu'on me demandait. Ne vous mélangez pas les pinceaux. Je ne suis pas une mauviette. J'ai éclaté la tête de plus d'un mec en mon temps. Le jeune Chester Howard, ici présent, a su tirer son épingle du jeu dans des écoles où les assiettes à dessert volaient comme des Frisbee, et dans d'autres où, si on ne fait pas gaffe, on se retrouve avec les dents infectées d'un sale type plantées dans le mollet, et puis dans d'autres encore où les surveillants avaient recours à la matraque.

Mais le Walbottle Manoir (et vice versa), c'était plus fort que tout! L'absolue gentillesse qui y régnait m'avait tourné le sang. Vaincu, j'ai brandi le drapeau blanc.

... Je m'appelle Chester, mais appelez-moi Howard.

2
Béni-oui-oui
comme au bon vieux temps

Si je vous décris la cour, vous ne me croirez pas. La moitié de ces bêtassons se promenaient gentiment à la ronde, pour offrir leurs dernières chips au premier pâlichon venu, tandis que les autres sautillaient en chœur comme des fous.

Je ne plaisante pas. Un vrai troupeau de kangourous. Deux blondinettes, genre laitières miniatures à joues roses et à tresses, faisaient tourner inlassablement une longue corde, pendant que leurs petits camarades sautaient en l'air ; tout ce petit monde rayonnait de bonheur, et chacun attendait sagement son tour pour se livrer à cette merveilleuse expérience.

À chaque fois que l'un d'eux passait sous la corde pour exécuter sa danse de Saint-Guy, les autres entonnaient un chant à l'unisson.

Debout sur les marches, je les ai écoutés. Au début, voici ce que j'ai cru entendre :

Mlle Tate s'est penchée pour cueillir
[une rose.
Une rose si douce, une rose parfumée.
Hélas ! Malheur ! Trop bas
[s'est penchée,
Et paf ! sa jupe a craqué.

Puis c'est devenu :

Mandy Frost était une bonne petite ;
Tous les dimanches, elle allait à l'église
Et priait le bon Dieu de lui donner
                              [la force
De choisir un garçon pour lui faire
                              [une bise.

Je me suis tourné vers Joe.

— C'est un jour spécial aujourd'hui ?

Il m'a ressorti son air ahuri.

— Comment ça ?

Je n'étais pas certain de pouvoir traduire ma pensée.

— Je veux dire, est-ce que vous faites tous semblant d'être de gentils petits orphelins, ou quoi ? C'est pour une commémoration ?

J'étais visiblement à des milliers de kilomètres de sa longueur d'onde.

— Une commémoration ?

— Tu sais, quand les filles mettent des tabliers et que tous les élèves s'asseyent gentiment, bras croisés. L'instituteur fait semblant qu'on est revenu cent ans en arrière, genre vieille école.

Une flammèche vacillante s'est enfin mise à luire vaguement dans le fond de son œil.

— Ah, d'accord ! Comme la fois où on a fait « Un jour d'école à l'époque victorienne ».

J'ai haussé les épaules.

— Ça ou autre chose, oui. Ambiance béni-oui-oui comme au bon vieux temps, quoi.

Il a jeté un regard circulaire sur la cour. Dans un coin, deux grands dadais consolaient un petit qui avait perdu sa bille fétiche, ou quelque chose dans ce genre. Près du porche, des garçons et des filles dansaient la matelote. (Croix de bois, croix de fer.) Le long des grilles, une bande de joyeux lurons se livraient à des jeux de mains pas vilains du tout. Et tous les autres déambulaient calmement, échangeant sourires et signaux d'amitié, ou attendaient loyalement leur meilleur ami devant la porte des toilettes.

— Tu ne comprends pas ce que je veux dire, ai-je fait. Où on est, là? Sur la planète *Zog*?

Le regard de Joe s'est illuminé.

— Oh, oui! si on jouait à ça. On dirait que tous les deux on serait des explorateurs de la planète *Zog* et toi tu...

Je lui ai lancé mon regard le plus meurtrier. Pour qui me prenait-il, cette espèce de trépané de seconde zone? Pour un pisseur au lit qui meurt d'envie de jouer à ces nianiasseries?

— Écoute, ai-je dit. Je crois qu'il est peut-être temps que je t'explique quelque chose.

Mais soudain, il a posé la main sur sa bouche, l'air affolé.

— Oh, Howard, m'a-t-il dit. Je crois que ça devra attendre la fin de la récré. Parce que je viens juste de me rappeler que j'ai promis à Mlle Tate de l'aider à découper les couvertures, pour nos nouveaux manuels pratiques.

Et, à cet instant précis, la dame de ses pensées est apparue sur le perron.

— Joe! a-t-elle chantonné. Joe Gardener!

— J'arrive, mademoiselle Tate! a-t-il répondu d'une voix flûtée.

Puis il a déguerpi.

Je me suis laissé glisser contre le mur le plus proche et j'ai plongé la tête dans mes bras. Ah c'était bien ma chance. Je me suis tiré d'affaire dans des écoles où l'uniforme démangeait si fort qu'on en avait de l'urticaire, dans des écoles où l'on devait se lever pour faire la prière cinq fois par jour, et dans des écoles où on vous faisait refaire vos devoirs des centaines de fois, jusqu'à ce que tout soit parfait.

Mais jamais encore je n'étais tombé dans un pétrin pareil. Déjà je percevais le bruissement doucereux de petits pieds anxieux se dirigeant vers moi. J'ai levé la tête, nerveusement, et je me suis retrouvé encerclé par une marée de visages soucieux.

– Howard?

– Ça ne va pas?

– C'est toujours difficile un premier jour.

– Tu t'habitueras vite à nous, tu verras.

– Tu veux venir sauter à la corde?

J'ai ouvert la bouche. J'étais sur le point de parler. Les premiers mots de ma phrase se pressaient déjà sur mes lèvres lorsque la sonnerie a retenti.

C'était sans doute pour le mieux...

3
Supermoche

Une heure plus tard, Mlle Tate nous a resservi l'explication détaillée de toute l'affaire − un truc à mourir d'ennui en pleine fleur de l'âge − pour les cervelles de mouton qui n'avaient pas écouté les dix premières fois.

− Voici donc vos jolies couvertures. C'est Joe qui m'a aidée à les découper à la bonne taille.

Notre Joe national a fait son dixième salut discret.

− Les feuilles sont sur mon bureau.

Quadrillées dans cette pile, blanches dans cette autre.

Elle a désigné chaque pile deux fois. On ne sait jamais : un élève sévèrement atteint au niveau cervical risquerait d'entrer en crise d'épilepsie à force de chercher quelque chose dans un espace d'un mètre sur deux.

— Et chacun d'entre vous est libre de choisir son propre sujet. Mais je vous rappelle qu'il faut que ce soit comme un petit manuel pratique. Par exemple… ?

Elle a montré Beth du doigt.

— Comment élever des lapins, a répondu Beth du tac au tac, avec un grand sourire.

(Ce n'était pas une nouveauté. C'était la millionième fois que Beth nous faisait part de ses plans depuis que nous avions réintégré la salle de classe.)

– Ou encore… ?

Elle a désigné quelques autres asticots du premier rang, qui ont, chacun leur tour, répondu d'un ton enthousiaste.

– Comment fabriquer un cerf-volant.

– Comment faire des bougies.

– Comment cultiver des graines de moutarde et du cresson.

– Comment dresser son chien.

– Organiser une nuit sous la tente en plein hiver.

– Décorer des œufs durs.

J'ai dû tomber dans un trou du continuum spatio-temporel, je ne vois pas d'autre explication, car maintenant, Mlle Tate se fraie lentement un chemin à travers la classe, vers Joe et moi.

C'est lui qu'elle désigne en premier.

– Joe? Une idée?

Il a l'air très embêté.

– Je n'ai encore rien trouvé, made-moiselle Tate.

À présent, elle aussi a l'air très embêté.

– Howard?

J'aurais dû lui répondre, je sais que j'aurais dû. Mais j'étais trop occupé à massacrer mon pupitre avec la pointe de mon stylo en marmonnant «Chester!» dans ma barbe.

– Oh, mes aïeux! a-t-elle dit. On dirait que vous n'avez pas la moindre idée, ni l'un ni l'autre. Peut-être devrions-nous refaire une petite tournée, pour vous laisser le temps de réfléchir…

Je me suis mis à grogner. Et, l'espace d'un instant, j'ai cru que nous allions être sauvés par le gong: Mlle Tate a regardé la pendule. Mais, visiblement, il restait encore un petit coin de son cerveau qui n'avait pas été envahi par le désir effréné d'aller se repaître d'une bonne tasse de thé en salle des maîtres, car elle a soudain eu une nouvelle idée.

— Vous savez quoi? Je vais rester un peu avec vous et nous allons discuter de ça en tête à tête.

J'ai légèrement augmenté le volume de mon grognement. Mais le saucisson sur pattes d'à côté a eu l'air absolument enchanté par cette nouvelle perspective.

— Elle va venir nous aider!

Il a dit ça sur le ton que vous ou moi aurions emprunté pour nous exclamer: «Des vidéos gratis pour la vie!» J'ai collé mon index à ma tempe et je l'ai fait tourner ostensiblement, afin de lui faire savoir que, de mon point de vue, il se conduisait comme un dindon perdu dans un champ de patates. Mais, à la même seconde, une ombre gigantesque s'est abattue sur ma table. Debout devant moi, la tête dans un nuage de mites, se tenait Mlle Tate, souriant de toutes ses dents.

— Alors, les garçons, qu'est-ce que vous mijotez?

— Mon projet est top secret, lui ai-je dit.

Cette réponse a suffi à lui faire lâcher mes baskets pour s'accrocher à celles de Joe.

Elle a dressé ses mains l'une contre l'autre, dessinant une sorte de clocher avec le bout de ses doigts.

— Voyons, Joe. N'y a-t-il pas un sujet sur lequel tu aimerais aller te documenter en bibliothèque?

Joe s'est mis à se ronger les ongles nerveusement puis il a secoué la tête.

— Bon, et si tu essayais de réfléchir à quelque chose que tu aurais toujours aimé savoir faire; une chose pour laquelle il n'existerait pas encore de petit manuel.

Joe s'acharnait à recycler éternellement son unique expression d'ahurissement total.

— Il y a sûrement quelque chose que tu aimerais savoir faire parfaitement, non?

— Compter jusqu'à trois, sans enlever tes moufles? ai-je suggéré.

— Howard!

Mlle Tate était choquée, c'était clair.

Elle a levé son sourcil gauche si haut qu'on aurait pu lui caser un œuf d'aigle royal dans l'orbite. Mais, juste à ce moment, Joe-cervelle-de-dé-à-coudre a eu une idée.

— J'aimerais écrire plus lisiblement.

Mlle Tate lui a caressé la tête, comme elle l'aurait fait à un chiot à trois pattes, découvert à moitié mort de faim dans un chenil.

— Je crois que nous partageons tous ce vœu, Joe.

Il a levé vers elle un regard plein d'espoir.

— Alors je peux choisir ça comme sujet?

— Quoi donc?

— *Comment écrire lisiblement.* Je pourrais faire un essai.

— Eh bien oui, Joe, pourquoi pas. Tu pourrais faire un essai...

Elle n'avait pas l'air terriblement confiante. Mais Joe, de son côté, propulsé par l'enthousiasme, a ouvert son cahier d'écriture. Et soudain, j'ai compris d'où venait l'expression dubitative qui se peignait de plus en plus précisément sur le visage de Mlle Tate. Ce brave Joe, assis à mes côtés, était l'Écrivateur de l'Enfer Noir de la Mort. Je vous assure que le jour où les instits du Walbottle Manoir distribueront des médailles d'or aux meilleurs calligraphes sur le toit de l'établissement, Joseph Gardener, ici présent, disposera de tout l'escalier du sous-sol pour hurler son désespoir.

— Ouah-ouh! ai-je fait sous le choc. C'est vraiment supermoche.

– Howard! a fait Mlle Tate d'un ton menaçant.

Mais personne ne peut empêcher qui que ce soit de regarder. J'en avais plein les yeux. Les pages du cahier de Joe étaient maculées de vilaines taches noires. Un régiment de mille-pattes drogués, chaussés de bottes pleines d'encre avaient dansé le twist sur la plupart d'entre elles. Les autres avaient presque l'air propres en comparaison. (Pas assez propres pour être lues. Juste propres en comparaison.)

– Je crois qu'on est rendu au rayon «grandes espérances», là, vous ne croyez pas? n'ai-je pu m'empêcher de faire remarquer à Mlle Tate. Décroche la lune et *tutti quanti*. «Écrire plus lisiblement», si vous voulez mon avis, est un projet qui semble un peu ambitieux pour notre ami Joe. Il ferait mieux de s'en tenir à «Comment apprendre à écrire».

Coup de froid au pays du bonheur : le ton de Mlle Tate a viré du mielleux au glacial.

— Tu seras gentil de te taire, Howard Chester, a-t-elle dit. Joe a effectivement un petit problème à l'écrit, mais il se bat très courageusement.

— Courageusement ? ai-je répété en ricanant. Vous voulez dire salement, comme un cochon, plutôt !

Joe a feuilleté les premières pages de son cahier.

— Moi je trouve que je suis en progrès, a-t-il insisté. Regarde comme mon travail est plus propre et mieux présenté depuis que je prends des cours particuliers deux fois par semaine avec Mme Hooper.

J'ai jeté un œil. J'ai d'abord examiné les pages du début, puis les dernières en date.

— Cette Mme Hooper est une grande dame, une grande dame très optimiste, ai-je observé.

Mlle Tate m'a doucement menacé :

— Tu vas me faire perdre patience, Howard.

J'ai donc mis la sourdine jusqu'à ce qu'elle reprenne sa place sur l'estrade. Puis je me suis concentré sur un spectacle d'une rare beauté : Joe, l'homme le plus maladroit de la galaxie, a pris son stylo ; il l'a serré si fort que sa main s'est muée en tarentule paralytique et il s'est mis à écrire, avec une lenteur à vous tirer les larmes :

Comon ocrir plss lisiblemon

— Ça ne va pas, lui ai-je dit. Il y a cinq fautes dans ta phrase. Et je ne parle même pas du niveau lamentable de ta calligraphie.

Joe a essayé de plaider sa propre cause.

— Mais tu arrives à lire, non?

— Plus ou moins.

— Je me suis vraiment appliqué.

— Dans ce cas, je crois que tu t'es trompé de sujet, lui ai-je dit, avec toute la patience dont j'étais capable. D'une manière générale, quand on se lance dans un projet personnel, la meilleure chose à faire est de mettre l'accent sur ses points forts, pas sur ses faiblesses.

Joe a soupiré.

— Je ne suis pas sûr d'en avoir.

Si ça ne vous dérange pas, je vais rompre le cours de l'histoire pour faire une petite annonce publique. Je sais parfaitement que lorsque quelqu'un vous dit: «Je ne suis pas sûr d'avoir des points forts», on est censé lui tapoter gentiment l'épaule et lui répondre: «Mais si, voyons! Tout le monde a des points forts. Le problème c'est que, chez certaines personnes, ils sont cachés. Certains points forts ne trouvent pas forcément leur expression dans le travail scolaire.»

Je sais qu'on est censé dire ça. D'accord? Mais moi, ce n'est pas ce que j'ai dit.

Voilà ce que j'ai dit:

— Tu crois? Moi je trouve que tu es vraiment très doué pour écrire comme un cochon.

Vous voulez savoir quelle a été ma grande erreur dans cette discussion? Ma grande erreur a été de prononcer les mots magiques: «Tu es vraiment très doué pour…» Assis à mes côtés se trouvait ce cas désespéré, cet élève dont pas un devoir n'avait réussi à tirer le moindre demi-sourire à un instituteur depuis ses trois ans, et je trouvais le moyen de lui dire qu'il était doué pour quelque chose.

— Tu crois vraiment?

Il a souri si fort que sa tête a failli se fendre en deux. Durant quelques secondes d'effroi mortel, j'ai même cru qu'il allait se pencher vers moi pour m'embrasser.

Et soudain, l'heure des Grands-Soucis-À-l'Horizon-Tous-Aux-Abris a sonné:

— Tu penses que tu peux m'aider?

Je vous le demande, à vous, oui, à

vous, bande de cracks, qui lisez ces lignes : qu'est-ce que vous auriez répondu à ma place ? Imaginez-moi, coincé entre les quatre murs de la classe du bonheur, parmi une bande d'enfants plus doux qu'un troupeau d'agneaux frappé par la grâce, avec, à un mètre de moi, cette face de citrouille qui pense que je suis gentil avec lui, parce que c'est la loi ici.

J'aimerais bien vous y voir. Je ne suis pas sûr que vous auriez réussi à vous en sortir mieux que moi.

— Bien sûr, ai-je dit. Je suis là pour ça.

J'ai pris mon stylo et j'ai écrit le titre en belles capitales bien nettes, afin qu'il puisse le recopier sur un des cartons qu'il avait découpés pendant la récré pour faire des couvertures.

Copier n'est pas trop dur, il s'en est donc pas mal tiré. Je ne peux pas dire que le résultat était élégant; il y avait trop de traces de doigts, sans parler de ses *e* à l'envers (ça, c'était un travail de longue haleine).

Mais j'étais fier quand même. Et lui aussi.

Au bout d'un moment, Mlle Tate a chantonné dans notre direction:

— Alors, Joe, ça avance?

Il a avalé sa salive avant de répondre.

— Ça avance bien. Howard m'aide.

La tête de Mlle Tate! Elle en aurait pleuré de joie.

— Et toi, Howard, comment t'en sors-tu avec ton propre projet?

— Il est toujours top secret.

— Comme tu voudras, du moment que ça marche.

J'ai baissé les yeux vers ma jolie couverture blanche sur laquelle, jusqu'à présent, je n'avais pas plus écrit qu'un lombric analphabète.

— Ça marche très bien, m'dame.

Elle a hoché la tête, heureuse comme une moule sur son rocher. Ma mère le dit toujours, et c'est la vérité Certaines de ces instits croient si fort au Père Noël qu'on devrait leur offrir un aller simple pour l'usine de jouets.

4
Ordure ou trésor?

Si l'on m'avait donné le choix, j'aurais préféré travailler au beau milieu d'une émeute de rue. Vous n'imaginez pas le bruit que faisait Joe Gardener en essayant d'écrire. Il laissait tomber son stylo dix fois par minute. Il disait «pardon!» sans arrêt, dès que son coude heurtait le mien. Et toutes les trois secondes, il levait le couvercle de son pupitre pour farfouiller dans son capharnaüm.

J'avais l'impression d'être assis à côté d'un hamster géant.

— Qu'est-ce qui t'arrive? ai-je fini par demander.

Il a tourné son visage soucieux dans ma direction.

— Comment ça?

J'ai reformulé ma question.

— Pourquoi tu ne travailles pas?

— Mais je travaille. Tu vois bien que je travaille.

— Non, ai-je dit. Je ne vois pas que tu travailles. Tout ce que je vois, c'est que tu fais tomber des trucs de la table, que tu tournes ta feuille dans tous les sens, et que tu lèves le couvercle de ton pupitre toutes les dix secondes pour touiller le fouillis à l'intérieur de ta case.

— Ben oui, je travaille.

— Tu n'as rien fait, pour l'instant.

Et c'était vrai. Jusqu'à présent, tout ce qu'il avait réussi à écrire se résumait à :

La brute s'est réveillée en moi. De son côté, Joe avait l'air effondré.

— Qu'est-ce que c'est que ce gribouillis ? ai-je demandé.

— Quoi ?

— Le truc que tu as écrit.

— Tu n'arrives pas à lire ?

J'ai rassemblé toutes mes forces de concentration.

— Slt y ver ?

Il a poussé un soupir déchirant et j'ai aussitôt compris que je m'étais trompé dans mon déchiffrage. J'ai fait une nouvelle tentative.

— Sli...

— *Si*.

C'était mon tour d'avoir l'air désespéré.

— *Si* ?

Il a pointé la deuxième lettre :

— Ça, c'est un *i*.

— Dans tes rêves !

— Ne sois pas injuste, a-t-il dit, d'un ton geignard. C'est vraiment un *i*.

— Si ça c'est un *i*, moi je suis un koala.

Son visage s'est décomposé.

— Oui, je sais. C'est pour ça que je fouille dans mon pupitre. J'ai une feuille spéciale quelque part là-dedans, avec plein de mots écrits bien comme il faut pour que je les recopie.

J'ai risqué un regard dans les profondeurs abyssales du pupitre de Joe Gardener.

– Comment peux-tu espérer trouver une pauvre petite feuille de papier dans ce zoo?

En rougissant, il a tenté de se défendre.

– Je cherche aussi mon dictionnaire.

J'ai plongé un doigt dans les entrailles de sa case et, le plus délicatement possible, j'ai remué quelques papiers chiffonnés et ramollis.

– Pas l'ombre d'un livre là-dedans.

– Peut-être qu'il est coincé tout au fond.

– Pourquoi tu ne ranges pas un peu, bon sang? Si tu jetais tout ce qui ne sert à rien, tu retrouverais facilement ce que tu cherches.

D'un ton éploré il m'a confié:

– J'ai essayé. Mais…

Sa voix s'est perdue. Ça ne changeait pas grand-chose. Je n'avais pas besoin d'un dessin. Je l'avais vu mettre deux millions d'années pour aligner trois pauvres mots mal formés. Si quelqu'un comme Joe décidait de ranger un bureau, la barbe aurait le temps de lui pousser jusqu'aux pieds avant qu'il ait fini.

J'ai mis de côté la couverture de mon manuel pratique encore vierge.

— Bon, ai-je soupiré. Au boulot.

— Mais on est censés...

Je ne me suis pas arrêté pour l'écouter. Je me suis juste dirigé vers l'estrade pour prendre la corbeille à papier. Les billes de loto de Mlle Tate ont failli sortir de ses orbites lorsqu'elle m'a vu me glisser sous son bureau.

— Howard?

– Je veux juste emprunter la corbeille, ai-je expliqué.

– Mais, Howard, cette corbeille est pour toute la classe.

Je crois qu'une des choses que je hais le plus à l'école est qu'on me traite comme un débile profond.

– Oui. Je comprends parfaitement, ai-je dit. Mais il se trouve que, pour l'instant, c'est Joe et moi qui en avons le plus grand besoin ; car, voyez-vous, il ne peut pas se mettre au travail avant que nous ayons mis de l'ordre dans sa case pour trouver son dictionnaire.

Une lueur étrange a étincelé dans ses yeux.

– Tu veux mettre de l'ordre dans la case de Joe Gardener ?

Je pense avoir saisi sa pensée. Aussi ai-je peint sur mon visage une expression qui signifiait clairement : « Eh oui, ma bonne dame. C'est vous qui encaissez le chèque et c'est moi qui fais le sale boulot. »

Plus d'obstacle de ce côté. J'ai rapporté mon trophée, et je l'ai planté sur le sol, à côté du pupitre de Joe. Puis j'ai désigné ma chaise.

— Assieds-toi là.

Il s'est décalé. (Une vraie pâte à modeler entre mes mains expertes.)

— Parfait, ai-je dit en sortant la première feuille couverte de pattes de mouche épileptique. Ordure ou trésor ?

— Ordure, a-t-il admis.

J'en ai sorti une deuxième.

— Ordure ou trésor ?

— Ordure.

C'est un truc de ma mère. Elle me le fait trois fois par an, à chaque fois

que ma grand-mère débarque à la maison.

— Et celle-là ?

— Ordure. Ordure. Ordure. Ordure.

Ça a pris un certain temps. Plusieurs fois j'ai dû enfoncer le pied dans
la corbeille pour pouvoir faire de la
place. Mais, peu à peu, nous avons
réussi à dégager les différentes strates
d'ordures de son pupitre ; une ou deux
fois, nous avons même eu de bonnes
surprises.

— Trésor ! J'ai perdu ce billet il y a
des semaines !

Ou :

- Mon carton de rendez-vous chez
le dentiste ! Maman m'a grondé parce
que je ne le trouvais plus !

Et, soudain, triomphe !

– Eh, c'est ma feuille spéciale avec les mots marqués!

– Calme-toi.

Je me suis dirigé vers Flora.

– Je peux t'emprunter ton ruban adhésif?

Mlle Tate m'a aussitôt repéré.

– Howard, a-t-elle chantonné. On ne se promène pas dans la classe sans lever le doigt pour demander la permission.

Qu'est-ce qu'ils ont, tous ces instits, à dire «on» au lieu de «tu», comme si eux aussi étaient concernés? Mlle Tate avait passé sa matinée à sillonner la classe et pas une seule fois elle n'avait jugé bon de lever la main.

– Oups, pardon! ai-je marmonné en m'enfuyant avec le rouleau de Scotch de Flora.

J'en ai utilisé un bon kilomètre. (Au diable l'avarice.) J'ai collé cette feuille spéciale à la table pour qu'elle ne retourne pas se promener n'importe où et je l'ai examinée.

jadis savions nommé tu devines
prêt attraper journaux cueillir
lycée hôpital éléphant faisons

Ce genre de choses. Peut-être étais-je un peu grognon parce que je n'avais pas encore eu le temps de me mettre à mon propre travail.

— Ah, je vois, ai-je marmonné. Tous les mots vraiment difficiles.

Joe a levé la tête.

— C'est ça, a-t-il dit d'un ton reconnaissant. Tous les mots où on peut faire des fautes.

Accordé. Bien que je n'aie pas pris

la peine de ricaner, je continuais à me sentir assez supérieur tandis que nous labourions les tréfonds de sa case.

— Ordure ou trésor?

— Ordure.

— À la poubelle. Et ça?

Il a tendu la main, apparemment soulagé.

— Mon dictionnaire!

— À partir de maintenant, essaie de le ranger toujours au-dessus et près du bord. (Mlle Tate aurait eu beaucoup à apprendre à mes côtés.) Dernier truc.

Il a pris ce que je lui tendais.

— Ordure.

Il l'a jeté dans la corbeille et j'allais l'écraser du plat du pied quand je me suis penché pour le repêcher.

— Qu'est-ce que c'est?

— Juste une photo.

— Je sais que c'est une photo, tête de nouille, lui ai-je dit d'un ton coupant. Mais qu'est-ce que ça représente?

Il a haussé les épaules.

— C'est juste une maquette que j'ai faite l'an dernier.

— Juste une maquette?

J'ai inspecté la chose; puis je l'ai inspecté, lui.

— Excuse-moi, ai-je dit. Puis-je me permettre de te poser une question très personnelle? Si tu peux fabriquer une maquette de trois mètres de haut représentant la tour Eiffel entièrement en macaronis, pourquoi n'arrives-tu pas à ranger ton pupitre?

— Je ne sais pas.

— Et moi donc!

J'avais toujours les yeux braqués sur

lui lorsque la sonnerie a retenti. Je n'avais pas écrit une ligne. Mais je n'avais pas perdu mon temps : j'avais mené une opération d'hygiène publique dans le pupitre d'à côté, j'avais rencontré le type qui écrivait le plus mal de l'univers, et j'avais découvert qu'il n'était pas si demeuré que ça, finalement.

Pas trop mal pour une première matinée, vous ne trouvez pas ?

5

Quelques minutes de silence par jour

J'ai vite compris pourquoi, jusqu'à mon arrivée, il était resté seul à son pupitre. Dès que venait le temps de la lecture silencieuse, ma main passait plus de temps à fuser dans les airs qu'à tourner les pages du livre.

— Mademoiselle Tate. Joe épelle tous les mots. Ça m'énerve.

— Il me rend fou, mademoiselle Tate. C'est impossible de lire quand il marmonne comme ça.

— J'ai lu exactement quatre pages.

Quatre pages en tout et pour tout. À chaque fois qu'il s'y met, je suis obligé de reprendre au début du paragraphe.

Mlle Tate a posé son stylo rouge.

— Joe. S'il te plaît, essaie de travailler plus silencieusement.

Il est devenu encore plus rouge qu'il ne l'était au naturel.

— C'est ce que je fais. Il vous faudrait un cornet acoustique pour m'entendre, mademoiselle Tate.

— Howard t'entend très bien, lui.

— Trop bien, vous voulez dire, ai-je éclaté. C-h-a-t, chat. C-h-i-e-n, chien.

— C'est faux, a dit Joe. Je lis un texte sur les chameaux.

En rentrant à la maison ce soir-là, j'ai demandé à mon père :

— Mais qu'est-ce qui cloche chez lui ? Comment peut-il en avoir assez dans le crâne pour marcher et parler, s'il ne peut pas écrire «veuille» et «cueille» sans faire dix-huit fautes?

— Les connexions, a dit mon père d'un ton grave. C'est un problème de connexions. Un peu comme le problème électrique qu'on avait eu dans l'appartement de Rio.

J'avais failli mourir dans un incendie à cause des mauvaises connexions dans cet appartement; le jour suivant, de retour à l'école, j'ai donc fait un effort pour me montrer plus sympathique.

— Écoute, ai-je dit. Soit tu te reprends un peu, soit je t'assassine. Tu choisis, d'accord?

— J'essaie, a-t-il dit. J'essaie vraiment très fort. Mais y a des trucs qui collent pas.

— Ce n'est pas comme si tu étais un

imbécile total, ai-je dit d'un ton plaintif. Si tu étais complètement imbécile, on saurait au moins où on en est.

— Je suis désolé. Vraiment désolé.

J'ai eu le sentiment qu'il n'avait cessé de répéter ces mots depuis qu'il était né.

— Oh, peu importe, ai-je coupé. Je vais trouver une solution.

Et certaines de mes idées ont donné des résultats satisfaisants. Cet après-midi-là je me suis attaqué à *cueille* (avec *accueille* livré en plus pour le même prix).

— Au début, tu n'as qu'à essayer ton b-a ba à la noix, et, pour la suite, pense à «cul de fille sans *l*, sans *d*, ni *f*».

— Cul de fille?

— CU-E-ILLE.

— Génial!

Mais, soudain, son visage s'est décomposé.

– Comment je vais faire pour me rappeler à quel mot ça correspond, Howard?

– Fais-en un poème.

Et tout à coup le rideau rouge s'est levé sur un Joe Gardener drapé dans un manteau imaginaire, à l'œil sombre braqué sur moi:

«Avec ton cul de fille
Tu les cueilles
Et je les accueille!»

Je l'ai bousculé d'un coup sec et il est tombé de sa chaise.

– J'espère que vous n'êtes pas en train de vous dissiper, tous les deux, nous a crié Mlle Tate.

Nous avons mis la sourdine pour un moment, têtes baissées, les yeux rivés à nos feuilles. J'ai essayé de me concentrer sur mon travail, mais, sans que je le veuille, mon regard filait sans cesse vers le manuel de Joe : *Comment écrire comme un cochon.* Faites-moi confiance, ce type était aussi habile avec un stylo qu'un canard avec une pelle. C'était tellement affreux qu'il faut l'avoir vu pour le croire. Après un million et demi de faux départs, tout ce qu'il avait réussi à tartiner se résumait à cette pauvre phrase estropiée :

Si vas essayez d'écrire comme un cochon vous ne devez pas utiliser un stylo grikouss

J'ai posé l'index sur le pâté immonde qui était censé être le dernier mot.

— Qu'est-ce que c'est que ce truc ?

— *Efficace*, a-t-il répondu courageusement.

Mais il n'était pas très sûr de lui, ça se voyait.

— Avec des *e* à l'envers, lui ai-je fait remarquer.

Il a arrangé ses *e*.

— Ça va maintenant?

— Oh, non, lui ai-je dit. Nous sommes encore à des années-lumière du résultat.

Tristement, il a rayé l'adjectif et a écrit *bon* juste au-dessus.

— Pourquoi tu fais ça?

— Je finis toujours par me servir des mots faciles que je sais comment écrire.

— Tu ne peux pas faire ça. Les gens penseront que tu es une andouille.

— La plupart des gens le pensent de toute façon.

— Eh bien, c'est inacceptable, tu ne trouves pas ?

Je suis resté immobile un instant, absorbé dans mes pensées, puis j'ai bondi :

— Eurêka ! Les filles jacassent, deux fessées, deux *f* deux *c*.

— Et alors ?

— Tu peux apprendre cette formule ?

— Pourquoi ?

— Parce que, ai-je dit triomphant, en inscrivant le mot sur une feuille volante à l'aide des grosses lettres que j'avais pris l'habitude d'utiliser pour lui, ça aide à ne pas se tromper.

e.ff.i.c.a.c.e

Il l'a regardé un bon moment, puis il s'est exclamé :

— J'ai compris !

Était-ce vrai? Était-ce une illusion?
(Il serait le dernier à le savoir.) Dans un
état de fascination macabre, j'ai observé
sa lente progression sur la page blanche
qu'il s'appliquait à salir, jusqu'à la sonnerie du déjeuner.

— Super! a-t-il fait en fourrant ses
affaires dans son sac. C'est l'heure de
rentrer à la maison!

— Mais l'après-midi n'est pas encore
passé.

— Ah bon?

Son visage s'est décomposé, une fois
de plus. Je ne peux toutefois pas affir-
mer qu'il avait l'air surpris. En revanche, plus tard, lorsqu'il s'est rendu
compte que l'heure de rentrer à la
maison avait bel et bien sonné, il a eu
l'air complètement stupéfait.

— Il n'a aucun sens du temps qui

passe, ai-je expliqué à mon père. Si on lui demande de réciter les jours de la semaine, il les dira dans l'ordre et tout. Mais si on lui dit qu'hier c'était mardi, pour l'aider à s'y retrouver, il n'arrive quand même pas à savoir qu'on est mercredi.

Mon père a déversé des lamelles d'oignon dans la casserole.

— Comment il s'en sort avec les mois?

— Il prétend qu'il les connaît. Mais il oublie toujours novembre.

— Ça permet d'arriver plus vite à Noël, j'imagine. Et où en est-il avec l'alphabet?

— Je ne sais pas.

— Demande-lui demain.

C'est ce que j'ai fait. Il a dû le chanter pour y arriver, mais il l'a chanté à la perfection. Au G j'ai commencé à faire le chef d'orchestre. Et lorsqu'il a terminé, avec un trémolo à vous fendre l'âme, sur le X, Y, Z, je lui ai dit :

— Si tu sais si bien ton alphabet, comment ça se fait que tu passes la majeure partie de ta semaine à feuilleter le dictionnaire pour trouver la lettre que tu cherches ?

— Quand je chante, c'est différent.

Le soir venu, j'ai rapporté cette anecdote.

— Il dit que quand il chante c'est différent.

Et, tandis que mon père hachait le persil pour la salade, j'ai fait mon imitation de Joe ratissant le dictionnaire à la recherche du W.

Mon père a levé les yeux de sa planche à découper.

— Tu veux que je te montre un tour?

Il m'a pris le dictionnaire.

— Qu'est-ce que tu paries que je l'ouvre à la lettre M du premier coup?

— Rien, ai-je dit. (Y a pas écrit pigeon.)

Il a ouvert le dictionnaire et m'a montré une page pleine de mots commençant par M.

— Très fort.

— Et qu'est-ce que tu paries que je fais pareil avec le D?

— Rien.

Il a ouvert le volume de nouveau pour tomber en plein milieu des D.

— Excellent.

— Vas-y, mise quelque chose, parie que je n'y arrive pas en un coup avec le S!

— Je fais des économies.

Il ne s'est pas laissé démonter. Il a ouvert au S en un coup.

Enfin, il s'est remis à sa salade. J'ai ouvert le dictionnaire en visant le E et je suis tombé sur le F. Ensuite, j'ai essayé le B et j'ai atterri dans les A.

— Alors, c'est quoi le truc ? lui ai-je demandé, finalement.

— C'est un très vieux truc, a-t-il dit.

— Mais ce dictionnaire n'est pas très vieux, lui.

— Ça marche avec tous les dictionnaires, a-t-il dit. Si tu l'ouvres en plein milieu, tu tombes pile sur les M.

J'ai essayé, il avait raison.

— Maintenant essaie exactement entre le milieu et la fin.

— Aux trois quarts, c'est ça ?

— C'est ça. En plein dans les S.

C'est ce que j'ai fait. Puis j'ai essayé

le premier quart et je suis tombé sur les D.

— Ça marche à tous les coups.

— Je suis très impressionné.

Mais je l'étais quand même deux fois moins que Joe le lendemain.

— Tu te rends compte que maintenant tu n'auras qu'à feuilleter un quart du dictionnaire à chaque fois que tu chercheras un mot? lui ai-je dit.

— Tu crois vraiment?

Il a essayé, en chantonnant son alphabet à mi-voix.

— Ça marche!

— Bien sûr que ça marche.

— Tu es tellement intelligent, Howard!

— C'est pas moi, c'est mon père.

Mlle Tate a interrompu notre petit festival de félicitations.

— Vous ne croyez pas que vous feriez mieux de vous concentrer sur votre travail, tous les deux?

Joe était rayonnant.

— C'est justement ce que nous faisons, mademoiselle Tate!

Parle pour toi, ai-je pensé. De mon côté je n'avais pas avancé d'un millimètre depuis que j'étais entré dans cette classe. Mon manuel pratique se résumait pour l'instant à une couverture blanche. Mais comme à présent mon voisin allait passer moins de temps à feuilleter en chantonnant, j'avais quelque espoir de remédier à cette situation. J'aurais au moins la possibilité de profiter de quelques minutes de silence par jour.

6

« Pourquoi le torturez-vous ainsi ? »

Au bout d'une semaine ou deux, j'étais parvenu à élever au rang d'art majeur ce qui jusqu'alors n'avait été qu'une parodie de rangement effectué par un crabe manchot à lunettes : j'avais appris à Joe à préparer son sac intelligemment.

— Bon, où est-ce qu'on va, là ?

Il regardait tous les autres se précipiter vers la porte, en brandissant leurs affaires de gym.

— Au stade ?

(Sherlock Holmes en personne, ce garçon.)

— Alors de quoi as-tu besoin ?

Il n'avait pas le droit de répondre avant d'avoir sorti les différents articles nécessaires de son casier pour les ranger dan son sac.

— Tennis. Short. Tee-shirt. Chaussettes.

Et, hop ! nous étions prêts pour notre séance hebdomadaire de sports collectifs. En vérité, ça ne changeait pas grand-chose, Joe n'était pas très doué en sports collectifs. (Je suis archicoulant en disant ça. Joe était une bille en sport. Il était tellement nul que même les meilleurs petits soldats de l'armée de la bonté dressés par Mlle Tate devaient grincer des dents pour ne pas grogner tout haut s'il finissait par atterrir dans leur équipe.)

Il était aussi horriblement nul en maths. Quelle que soit la page de problèmes que Mlle Tate posait devant lui, il restait assis à gigoter en soupirant toutes les trois secondes jusqu'à mettre mes nerfs en pelote.

— Alors, qu'est-ce qui ne va pas, cette fois?

— Je comprends pas.

— Qu'est-ce que tu ne comprends pas?

(Je ne sais pas pourquoi je m'embêtais à l'interroger. Autant demander à un sourd des deux oreilles : «Qu'est-ce que tu n'entends pas?»)

— Je comprends rien.

Pourquoi faudrait-il que je me coupe en quatre pour pas un rond, alors que Mlle Tate était payée pour ça?

– Mademoiselle Tate. Mademoiselle Tate ! Joe fait encore un blocage !

Vous ne pouvez pas lui enlever ça, notre instit faisait vraiment de son mieux. Jour après jour, elle traînait les bûchettes et les cubes de couleur jusqu'à son pupitre et les installait devant lui pour l'aider à visualiser le problème.

– Voyons, Joe. Allons-y, pas à pas. Ce cube-là représente...

– Une centaine ?

Elle secouait la tête.

– Un millier ?

– Non. Réfléchis, Joe. On l'a vu hier, essaie de te rappeler.

– Une dizaine, alors ?

Réussite au troisième essai. Il faut dire qu'il ne restait pas des masses de possibilités. Mais, malgré ça, Mlle Tate parvenait à faire jaillir une étincelle d'enthousiasme supposée enflammer les maigres capacités intellectuelles de son élève.

— C'est ça, Joe! Alors si nous n'avons pas assez de cubes rouges pour... ronron... ronron... ronron... ronron... ronron.

Joe donnait tout ce qu'il avait; il hochait la tête, et, petit pas à petit pas, il continuait de répondre aux questions, une par une. Mais tout cela était vain. Rien ne prenait. Dès qu'elle s'éloignait de sa table, il ne réussissait plus à retrouver les bonnes questions à se poser pour trouver les réponses. Il ne comprenait plus rien. Et le troupeau de cubes et de bûchettes qui encombraient son pupitre le laissait aussi déconcerté que les chiffres qui lui avaient embrouillé l'esprit en premier lieu.

– Je crois que seules les personnes qui savent résoudre le problème sur feuille comprennent quelque chose aux cubes et aux bûchettes, m'a-t-il confié un jour.

– En plein dans le mille, Joe!

– Alors à quoi ça sert?

J'ai haussé les épaules.

– Je n'en ai pas la moindre idée.

Parfois, histoire de se reposer un peu, Mlle Tate lui donnait des choses faciles à faire. Mais, là encore, il réussissait à se tromper. Je me penchais vers lui pour voir ce qui clochait et je me rendais compte qu'il avait mal recopié l'énoncé. Son problème d'écriture à l'envers avait contaminé le domaine des chiffres.

– Tu es censé multiplier par treize, pas par trente et un.

– Ah bon?

Il passait alors dix bonnes minutes à retrouver son exercice sur la feuille de problèmes.

– Tiens, c'est vrai!

N'allez pas croire qu'après ça il trouvait le bon résultat. Il trouvait encore le moyen de recopier le bon chiffre au mauvais endroit.

Exemple:
$$\begin{array}{r} 43 \\ + \ 154 \\ \hline 584 \end{array}$$

Il relisait quatre fois avant d'**être** sûr; puis il demandait:

– J'ai fait une erreur dans l'addition?

Je vérifiais pour lui.

– Non. Pas d'erreur dans l'addition.

– Alors j'ai bon.

– J'ai bien peur que non.

J'appelais alors Mlle Tate, qui revenait à la charge, avec ses cubes et ses bûchettes, pour tenter de lui expliquer.

Un jour, je lui ai demandé :

– Pourquoi le torturez-vous ainsi ?

Mlle Tate a eu l'air à la fois blessé et horrifié.

– Le torturer, Howard, qu'est-ce que tu peux bien vouloir dire par là ? J'ai simplement demandé à Joe s'il comprenait.

– Mais Joe ne sait pas s'il comprend.

– Peut-être que ça viendra tout à coup. Ça arrive chez certains enfants.

Elle m'a tourné le dos.

– Voyons, Joe, a-t-elle dit patiemment. Essayons encore. On commence par cette colonne, n'est-ce pas? Alors combien font sept fois huit?

Nous attendons une éternité. Et puis, finalement (parce que Joe parvient à lire sur les lèvres de Beth), la réponse arrive.

— Cinquante-six?

Mlle Tate frissonne d'enthousiasme.

— Excellent, Joe!

Une mini-microseconde plus tard, elle lui demande:

— Et combien font huit fois sept?

Et paf! il baisse la tête d'un air misérable et reprend son rognage d'ongle là où il l'avait laissé.

— Allons, Joe. Tu viens juste d'y arriver.

— Vraiment?

— Mais oui!

— Quand ça?

— À l'instant. Tu m'as dit: «Sept fois huit, cinquante-six».

— Mais j'ai pensé que cette fois vous vouliez huit fois sept.

— Joe, c'est la même chose!

Il fait assez bien la blague. Il se donne une tape sur la joue, genre «Mais qu'est-ce qui m'a pris» et illumine son visage d'un sourire confiant. Elle, de son côté, fait semblant d'y croire (parce que c'est son métier). Mais moi, je n'ai aucune raison de jouer leur jeu débile.

— Vous voyez? Vous ne faites que le torturer. S'il n'a pas encore pigé que sept fois huit c'est la même chose que huit fois sept, comment pouvez-vous lui faire commencer les fractions? C'est pas juste.

— Ce sont des fractions très simples.

— Les vis papillon sont douces comparées aux mèches de perceuse, j'imagine.

— Howard!

Elle commence à en avoir par-dessus la tête de moi, c'est clair. Mais moi aussi j'en ai assez d'elle. Comment peut-elle continuer semaine après semaine à faire comme si, au fond du tréfonds (en supposant qu'elle puisse l'atteindre), le cerveau de Joe fonc-tionnait comme le sien ou comme le mien? Pourquoi ne voit-elle pas que sa pendule à lui ne tique pas comme la nôtre?

— Il a fait de gros progrès ces der-niers jours, n'est-ce pas, Joe?

— C'est seulement parce que Ho-ward m'aide.

— Je suis sûre que non.

— Mais si, je l'aide, ai-je dit.

— Howard !

— C'est vrai, ai-je insisté. Joe se débrouille pas mal. Mais seulement parce qu'il fait semblant de comprendre, qu'il devine les bonnes réponses, qu'il lit dans vos pensées et sur les lèvres de Beth, quand il n'obtient pas la réponse directement par moi.

— Je suis certaine que ce n'est pas vrai.

— Demandez-lui. C'est peut-être votre jour de chance !

Elle n'ose pas. Elle tourne les talons. Et je sais que j'ai touché une corde sensible, parce que, lorsqu'elle arrive à son bureau, elle fait soudain demi-tour pour me regarder dans les yeux, le visage écarlate, et dit :

— Je crois que je vais devoir te changer de place, Howard.

Joe pousse un geignement à vous briser le cœur.

— Oh non, mademoiselle Tate! Ne faites pas ça, s'il vous plaît! J'aime être à côté de Howard! Il m'aide énormément!

Elle n'insiste pas. Mais, plus tard, lorsque la sonnerie retentit, elle me prend par le bras et m'emmène à l'écart pour me parler.

— Je crois, Howard Chester, que tu ferais mieux d'accorder moins d'intérêt au travail des autres et de te concentrer sur le tien.

À son tour, elle a marqué un point. Car lorsque j'ouvre mon manuel pour lui prouver qu'elle se trompe, il est encore entièrement vierge.

7

Les règles d'or

– Aujourd'hui, lui ai-je dit, c'est sur mon projet que je vais travailler.

– Aide-moi juste à commencer d'abord, a-t-il plaidé.

– Non, ai-je répondu. Moi aussi il faut que j'avance. Quand je commence à m'occuper de toi, c'est sans fin.

Alors, tristement, il étale son horrible écriture en travers de la page.

Les gens qui écrivé vraiment comme des cochons

C'est inutile. Je suis incapable de me concentrer. Je pose mon stylo et je glisse les nouvelles photos qu'il m'a apportées pour me les montrer hors de leur enveloppe.

— Je l'ai déjà dit avant, lui ai-je glissé à l'oreille, et je le redirai sans doute : je ne comprends pas comment quelqu'un qui parvient à entreposer dix-huit maquettes géantes dans une chambre minuscule sans en casser aucune peut être incapable de recopier un mot sans le tordre dans tous les sens.

J'ai de nouveau jeté un œil à son travail.

— Ou d'aligner six mots sans se retrouver au bout de la page avant la fin de sa phrase.

Voyez vous-mêmes où il en était :

Les gens qui écrivent vraiment,
comme des cochons N'a

Je lui ai touché la main.

- Ces doigts sont-ils ceux qui ont construit une tour Eiffel de trois mètres de haut entièrement en spaghettis?

— En macaronis.

— Peu importe. (Je lui ai tapoté la tête.) Ce cerveau est-il celui qui a trouvé le moyen d'illuminer le masque de Halloween de sa sœur avec des loupiotes orange et vertes? Ce garçon est-il celui qui a réussi à remettre en place tous les branchements du haut-parleur que cet imbécile de Ben Bergonzi avait détruit en y donnant un coup de ses gros sabots de bœuf?

— C'est différent, a-t-il dit tristement. Je n'ai pas besoin d'apprendre comment marchent les branchements électriques et quelle colle utiliser pour que ça tienne.

J'ai secoué la tête.

— Tu n'es pas à ta vraie place, lui ai-je dit. Tu n'as rien à faire ici. Ça te sape le moral. Ça détruit ta confiance en toi. Tu devrais t'engager comme apprenti auprès d'un type qui construit des ponts, qui fait l'éclairage de scène de groupes célèbres, ou qui pose des écoutes téléphoniques.

— J'aimerais bien.

— C'est pas grave, ai-je dit. Il ne te reste plus que… (J'ai fait un rapide calcul mental…) mille six cent quarante-six jours à tirer.

Il a levé la tête, intéressé.

— Jusqu'à quoi?

– Jusqu'au moment où tu pourras enfin te mettre à faire ce pour quoi tu es doué.

D'un air songeur, il a contemplé les photos étalées sur le pupitre.

– Mille six cent quarante-six jours…

J'ai regardé ma montre.

– En comptant que celui-ci est en train de passer à toute vitesse, lui ai-je fait remarquer. Alors reprends ton stylo et en route pour notre grand spectacle de doigts contorsionnistes et mille-pattes à bottes d'encre.

– Je suis bloqué.

– Fais un essai. Personne ne te demande de remporter un premier prix.

– Un jour j'en ai gagné un, a-t-il dit, fièrement.

– Vraiment?

J'écoutais distraitement. Car, soudain, là, tout de suite, je venais de trouver exactement ce que j'allais faire de mon manuel pratique encore vide ; j'avais un plan pour le remplir jusqu'à la dernière page.

Mais il était décidé à me raconter son histoire.

— Oui. J'ai remporté un prix. Il y a deux ans, à la foire d'Été.

Il avait l'air si fier que, malgré l'impatience qui me rongeait de mettre immédiatement mon idée en pratique, je n'ai pas pu m'empêcher de lui demander :

— Quel prix ?

— Le prix du garçon qui pouvait tenir le plus longtemps la tête passée dans un trou pendant que les gens lui jetaient des éponges mouillées à la figure.

Bon d'accord. Je l'avoue. Je ne suis pas un caillou. J'ai un cœur. J'ai même des cordes sensibles. Et mon petit voisin de table sous-qualifié venait de les pincer si fort qu'elles ont failli craquer.

— D'acco-dac, ai-je dit, en prenant mon stylo. Je vais t'aider.

Après avoir mis de côté mon propre manuel, je me suis coltiné le sien.

Pour écrire vraiment comme un cochon (dans le plus pur style « je sors tout juste de ma mare de boue » adopté par Joe), il vous faudra du papier — n'importe quel vieux morceau de papier, même sale — et un stylo qui fait d'horribles pâtés. Choisissez un endroit instable pour vous mettre au travail. (Les rochers et les genoux sont une bonne solution, mais rien ne surpassera un autobus lancé à grande vitesse.)

Asseyez-vous bien comme il faut : écroulez-vous d'un côté et laissez traîner vos jambes tendues de chaque côté de votre chaise. Assurez-vous que vous bénéficiez de peu d'éclairage, ou que vous ne pouvez pas voir ce que vous faites à cause d'une pile de livres qui se trouve entre vous et votre feuille.

Agrippez le stylo si fort que vos articulations blanchissent, et faites en sorte de vous tordre la main jusqu'à ce que vous soyez presque en train d'écrire à l'envers.

— Je ne fais pas ça, si ?
— Si. C'est exactement ce que tu fais.

Il est également très important de ne jamais écrire une lettre de l'alphabet deux fois de la même manière. Un vrai cochon parvient, dans un même mot, à écrire deux fois la même lettre sans que l'on puisse la reconnaître d'une fois sur l'autre.

95

Exemple :

Je lui ai tendu le stylo.

— Vas-y. Écris l'exemple.

— Moi ? Je suis nul pour les exemples. Tu sais bien. Je me trompe tout le temps.

— Tu es la seule personne au monde à pouvoir faire celui-là comme il faut.

— Vraiment ? (Son regard s'est illuminé.) Qu'est-ce que j'écris ?

— Écris « Patate », lui ai-je dit. Il y a plusieurs fois les mêmes lettres. Si tu ne fais pas de faute d'orthographe.

Il n'a pas fait de faute parce que je lui ai dicté.

Exemple : Patate

— Magnifique ! ai-je fait. Parfait ! Tu vois ce que je veux dire ? Appuie-toi toujours sur tes atouts. On ne croirait jamais que ces deux *a* sont la même lettre.

— Alors je peux faire tous les exemples?

— Personne ne peut les faire à ta place.

Le lendemain, nous nous sommes occupés des capitales

A B C D E F G H I J K L M

N O P Q R S T U V W X Y Z

Devinez qui, de nous deux, a rédigé la ligne supérieure?

Gagné.

On peut se servir des capitales pour mettre au début des noms propres, et pour commencer les phrases. Mais si vous essayez d'écrire vraiment comme un cochon, ne vous embêtez pas avec ça. (Vous pouvez aussi essayer de faire vos capitales plus petites que vos petites lettres. Ça déroutera vos lecteurs.)

Exemple :

Le jour suivant, nous avons fait les petites lettres.

Devinez qui, de nous deux, a écrit la ligne du bas ?

Encore gagné !

Pour gagner du temps et ne pas faire trop d'efforts, vous pouvez vous servir de la fin d'une lettre pour faire le début de la suivante.

Exemple :

Ne vous en faites pas, vous apprendrez bientôt à reconnaître les lettres qui ne comptent pas et qu'on peut tout simplement laisser tomber.

Le lendemain nous avons conçu des exercices appropriés.

N'essayez jamais de faire deux lettres de la même taille.

Exemple :

Et assurez-vous toujours que vos grandes lettres partent dans n'importe quelle direction.

Exemple :

Essayez de ne pas employer de papier quadrillé parce que, si vous voulez vraiment parvenir à écrire comme un cochon, la dernière chose à faire est de tout disposer bien en ordre sur un seul et même niveau.

Exemple :

Nous nous sommes aussi occupés des chiffres.

1 2   3   4   5   6   7   8   9   10

Et si vous vous arrangiez pour que vos 5 ressemblent à des S? Ou vos 6 à des O? Rappelez-vous que les nombres vraiment importants doivent être en partie masqués par un pâté. Et, pour changer, pensez donc à écrire la moitié de vos nombres en toutes lettres, et le reste en chiffres.

Exemple :

vingt.

21

Comme vous voyez, on pourrait facilement lire «vingt»!

Je pensais qu'il était important de ne pas laisser dans l'ombre la douloureuse question des points sur les *i* et des barres sur les *t*.

Les règles d'or du point sont les suivantes :

1. Ne mettez pas systématiquement un point là où il devrait y en avoir un.

2. Placez votre point à quelques lettres d'écart de sa vraie place (dans la direction que vous désirez).

Joe a tout de suite trouvé un exemple parlant.

Je suis allé dans la maison.

Ce qui m'a donné une nouvelle idée.

Assurez-vous bien que vous avez disposé plus de points qu'il n'en faut. Les points supplémentaires seront dispersés au hasard de la page d'écriture.

Après ça, on est rentrés chez nous.

Au retour du week-end, nous nous sommes mis à la ponctuation.

Il ne faut en aucun cas abuser de la ponctuation, ça fait chichi. Oublions les points d'interrogation et d'exclamation, et soyons très économes de nos virgules. En revanche, pour ce qui est du point final, il est fortement conseillé d'en user à sa guise et de le placer n'importe où dans la phrase (sauf à la fin).

Exemple :

Et enfin, histoire de finir en beauté, nous avons évoqué le problème des espaces entre les mots et de la présentation.

Efforcez-vous toujours d'aller jusqu'à l'extrême limite de votre page, quitte à laisser tomber les dernières lettres. N'importe quel lecteur qui se respecte est capable de reconstituer le mot à partir de la première syllabe.

Exemple :

Si vous vous tenez comme il faut, vos lignes devraient naturellement monter vers le haut ou descendre vers le bas. Ne vous préoccupez pas des paragraphes. Les experts patentés en pattes de mouche ne se préoccupent jamais des paragraphes.

J'ai tendu le stylo à Joe.

— Maintenant, écris «Bonne chance». Ce sera le mot de la fin.

Sa langue est sortie automatiquement de sa bouche et il a gribouillé :

Puis il a examiné soigneusement la dernière partie.

— Qu'est-ce que ça veut dire, «patenté»?

— Respecté. Honorable. Célèbre pour quelque chose.

— Alors, a dit Joe — assez excité par toutes les qualités dont il avait fait preuve en rédigeant les exemples ces derniers jours — on pourrait dire: «*Exemple*: Joe Gardener est patenté dans l'art d'écrire comme un cochon.»

(C'est ce qui s'appelle mettre les points sur les i.)

— Un peu mon neveu.

8
Une petite vague de crime secrète,
perpétrée par une seule
et même personne

À présent que Joe en avait fini avec son projet, il a commencé à s'intéresser au mien.

— Pourquoi tu es assis comme ça, tout tordu? Tu essaies d'écrire comme un cochon ou quoi?

— Non. C'est pour que tu ne voies pas ce que je fais.

— Pourquoi?

— Parce que c'est un secret.

Il a eu l'air profondément blessé.

— Je finirai par le voir de toute façon, à la journée portes ouvertes.

— Oui, mais pas avant.

Il a haussé les épaules. Puis de Monsieur Cœur Brisé, il s'est changé en Monsieur Front Soucieux.

— Ça ne doit pas être facile pour toi d'écrire avec le dos cassé en deux comme ça.

— Tu y arrives bien, toi.

— C'est parce que j'ai l'habitude.

Soudain, son regard s'est illuminé et il a ajouté :

— J'ai une idée! je vais te fabriquer un écran protecteur!

Aussitôt dit, aussitôt fait. Le lendemain, il a apporté un écran génial qu'il avait bricolé à partir d'une boîte de céréales. Il devenait complètement plat quand on le repliait et se rangeait parfaitement dans la case. Mais, à chaque fois que Mlle Tate disait: «Il est temps de nous remettre à nos petits manuels pratiques», il le sortait de sa table et l installait bien droit entre nous deux, après avoir abaissé les rabats stabilisateurs, maintenus par deux vieux rouleaux de papier-toilette, et mis en place les deux contreforts de soutènement, constitués par des étuis de cassettes audio.

Ça faisait parfaitement l'affaire. Il ne voyait rien de ce que je fabriquais.

— Magnifique! ai-je dit, reconnaissant. C'est tellement plus facile comme ça.

Mlle Tate n'en était pas aussi convaincue, ça se voyait.

— Êtes-vous vraiment obligés d'encombrer votre pupitre avec tout ce fatras?

– C'est mon écran protecteur, m'dame, lui ai-je dit. Ça m'aide à travailler.

Elle a soupiré.

– J'imagine que je dois remercier le ciel que tu aies enfin commencé ton projet.

Commencé? Et comment! Je bossais comme un cinglé! J'ai passé des heures à vérifier mes calculs, à tracer des droites parfaites, et à m'assurer que mon système de cotes était infaillible. Joe, de son côté, trafiquait je ne sais quoi avec des morceaux de carton, de la ficelle et de la colle, dissimulé derrière sa tablette légèrement relevée, dès que Mlle Tate ne regardait pas dans notre direction; le reste du temps, il se faisait du souci pour moi.

– Tu crois que tu auras fini à temps pour la journée portes ouvertes?

— Je l'espère sincèrement.

Je n'en étais, malgré tout, pas certain, et j'ai donc décidé de rapporter mon matériel à la maison pour pouvoir avancer pendant que papa préparait le dîner.

— Qu'est-ce que c'est que ce truc?

— C'est mon projet pour l'école, ai-je dit à mon père. C'est un manuel pratique.

— Ah bon? Un manuel pratique sur quoi?

— Comment survivre à l'école.

En voyant ses yeux s'arrondir comme des soucoupes j'ai précisé:

— C'est un cadeau pour Joe.

Papa s'est essuyé les mains, après avoir pétri la pâte à pizza, et a feuilleté les quelques pages que j'avais remplies.

— Qu'est-ce que c'est que ce

travail? Tout ce que je vois, c'est un tas de cases numérotées.

— Ce n'est pas n'importe quel tas de cases numérotées, ai-je répondu. Au moment de la journée portes ouvertes, ce manuel contiendra exactement autant de cases merveilleusement égales et soigneusement mesurées qu'il reste de jours à tirer à l'école pour ce pauvre Joe Gardener.

Mon père a ouvert le cahier à la dernière page où apparaissaient les dernières cases esquissées au crayon à papier.

— Mille six cent quarante-six?

— En réalité, il ne nous en reste déjà plus que mille six cent trente-huit, ai-je admis. Mais j'ai pensé que ce serait quand même bien agréable pour Joe de pouvoir en barrer plusieurs d'un coup dès le début.

— Elles ne servent qu'à ça? À ce que Joe puisse les barrer?

— Ou les colorier au feutre.

Papa était dégoûté.

— À quoi ça sert?

— Ça l'aidera à tenir le coup. Tous les prisonniers font ça. Ça les aide à tenir jusqu'à la fin de leur peine sans péter les plombs.

— Mais Joe n'est pas en prison. Il est au Walbottle Manoir (et vice versa)!

— Ça revient au même. En fait, s'il était en prison, il serait plus heureux. Il pourrait passer le temps en réparant les machines à coudre dont ils se servent pour fabriquer les sacs postaux, ou en inventant des procédés bizarres pour faire céder les serrures.

Papa s'est mis à taper sur sa pâte à pizza avec une violence injustifiée.

– L'école n'est pas un bagne, a-t-il protesté. C'est un merveilleux voyage de l'esprit vers une destination enviable.

– Va expliquer ça à Joe! ai-je répondu d'un ton bourru. Pour lui l'école n'est qu'un endroit où il doit aller parce qu'on l'y oblige, et quand il y est, tout ce qu'ils font, c'est lui remonter les bretelles du matin au soir parce qu'il fait tout de travers.

Papa a planté ses doigts pleins de pâte dans mon manuel pratique.

– J'imagine qu'il ne sera plus le seul à se faire remonter les bretelles le jour où Mlle Tate verra ça.

Je n'ai pas discuté avec lui. Je savais parfaitement qu'il avait raison. Mais, en classe, j'ai tout de même continué à tracer mes cases à la règle, dès que

Mlle Tate nous faisait savoir qu'il était temps de nous remettre à nos manuels ; en fait, je le faisais même quand elle nous demandait d'arrêter.

— Posez vos stylos ! il est temps d'organiser l'exposition pour la journée portes ouvertes de l'école !

Joe m'a donné un coup de coude.

— Il faut que tu poses ton stylo.

— Dans tes rêves, lui ai-je dit en continuant de dessiner mes cases. Miss Vieille Cerise sur le Gâteau ne va rien remarquer.

Mais Miss Vieille Cerise sur le Gâteau n'avait pas l'œil dans sa poche.

— Howard ! tu es le dernier à avoir posé ton stylo, je vais donc devoir te donner une petite course à faire.

Ô joie ! cinq longues minutes de liberté ! Et pourtant, tandis que j'arpente la classe vers la porte du bonheur, je vois se lever sur moi les yeux pleins de pitié des petits élèves bien sages qui trouvent que leur maîtresse m'a puni trop durement. Je donnerais ma main à couper que pas une de ces femmelettes n'a passé ses après-midi de pluie à planter des aiguilles dans le ventre de ses poupées. Adieu, bande d'andouilles.

Je siffle le long du couloir, dans le virage et devant la salle de réunion jusqu'au bureau de la secrétaire. Personne en vue. La liste que je suis venu chercher est posée sur la table. Je n'ai qu'à la prendre.

Classe de Mlle Tate : Liste pour les prix de la journée portes ouvertes.

Suit un tas de distinctions de derrière les fagots :

Prix d'orthographe
Prix d'expression écrite
Prix de lecture
Prix du meilleur manuel pratique
Prix d'arithmétique

Rien en vue pour Joe dans cette série. Et tout à coup, paf! j'ai eu une idée. J'ai piqué les ciseaux qui se trouvaient sur le bureau de la secrétaire et j'ai découpé la dernière ligne – Oups! Désolé, Beth! Pas de prix pour toi cette année! – et, tout en haut, j'ai écrit très soigneusement:

Prix de la plus belle maquette maison

Je suis revenu tranquillement vers ma classe. Quand je suis entré, Mlle Tate était occupée à combattre une tragique avalanche de matériel pour monter des vitrines en kit, si bien qu'elle a à peine regardé le papier que je lui collais sous le nez.

— Épingle ça juste là, pour que tout le monde puisse consulter la liste.

J'ai dérobé une punaise au sommet d'une des peintures style mare de boue que je détestais le plus, et je l'ai regardée, empli de bonheur, se décoller du mur pour atterrir lamentablement dans la corbeille.

— Voilà! ai-je dit en enfonçant la punaise. Je déclare solennellement que cette liste de prix est affichée.

Une deuxième avalanche s'est abattue sur Mlle Tate. En plus de ça, son rouleau de Scotch a roulé sous les tables. Et, pour couronner le tout, elle a fait un tintouin du tonnerre pour savoir quel genre de colle il fallait employer pour coller la photo du faucon empaillé de la mère de Ben dans la vitrine spécial nature. Si bien que personne n'a remarqué ce que j'aimerais appeler ma petite vague de crime secrète perpétrée par une seule et même personne.

9
Le Club des Déménageurs Fous

Ma mère a fait un scandale.

– Au cas où tu ne l'aurais pas remarqué, l'entreprise pour laquelle je travaille s'appelle Haute Technologie Système, pas Déménagement Bénévole de Maquettes Branlantes.

– Les maquettes de Joe ne sont pas branlantes, lui ai-je dit. C'est un expert.

– Chester, ça coûte déjà une fortune de laisser cette camionnette stationner sur le parking. Imagine ce que ça coûterait de l'envoyer faire cette petite course pour toi.

— Ça ne sera pas long.

— Chargement et déchargement.

— Je m'occuperai de tout.

Elle a enfoncé sa fourchette dans ses pâtes d'un air boudeur. Je gagnais du terrain.

— C'est la seule chose que je te demanderai de toute l'année, ai-je dit. Et je ne ferai plus jamais d'histoires quand je changerai d'école.

Une lueur d'espoir a scintillé dans les yeux de mon père.

— Conclus ce marché immédiatement! a-t-il ordonné à maman. Conclus ce marché à la seconde, ou je demande le divorce.

Ma mère a conclu le marché. Elle a passé deux coups de fil et l'affaire était dans le sac. La camionnette s'est arrêtée devant la porte de Mme Gardener le lendemain matin.

— Nous sommes venus chercher toutes les maquettes de Joe, ai-je expliqué à la femme de ménage. C'est pour l'exposition de la journée portes ouvertes.

Les lueurs d'espoir s'allumaient dans les yeux des habitants du quartier comme autant d'étoiles dans le ciel ces temps-ci.

— Comment ça? Toutes les maquettes?

— Absolument toutes, ai-je répondu d'un ton ferme.

— Même la toile d'araignée géante en nouilles cuites qui recouvre le mur de la chambre?

— Oui, ai-je dit. Et le cosmonaute

en gobelets de plastique. Plus la roue de la fortune articulée en capsules de bouteilles de bière. Sans oublier le crocodile en morceaux de bois flottés récupérés au fil des années par l'inventeur.

La femme de ménage a été parcourue d'un frisson d'extase.

— Alors je vais pouvoir passer l'aspirateur sous le lit ? Épousseter les rebords de fenêtre ? Et lessiver les murs ?

— La chambre sera tout à vous. Plus vide qu'un conduit d'égout en plein désert un après-midi d'été, jusqu'à quatre heures. Montrez-moi le chemin.

Elle s'est arrêtée au milieu de l'escalier, dans un état d'agitation difficilement descriptible.

— Vous allez aussi emporter l'abatjour en croûtes de pain sec ?

— Oui, on va le prendre.

Elle a serré son plumeau contre son cœur, transportée d'émotion.

— Suivez-moi!

Je n'aimerais pas passer trop de temps dans la chambre de notre brave petit Joe. Ça ne me dérangerait pas de me frayer un chemin entre les quatre pieds de la fusée en rouleaux de papier-toilette, ni dans les méandres de la Vallée des Rois en papier mâché. Mais je détesterais m'endormir directement sous un tyrannosaure en bouteilles de plastique remplies d'eau, ou me réveiller et poser accidentellement le pied sur l'araignée en sacs de congélation pleins de gelée rouge.

— Tout y est? a demandé le chauffeur, en contemplant l'arrière de la camionnette rempli du sol au plafond.

La mère de Joe et la femme de ménage ont essuyé ce que je n'ai pu interpréter que comme une larme de joie au coin de leurs yeux.

— Vous nous promettez que nous ne les reverrons pas avant quatre heures de l'après-midi ?

— Croix de bois, croix de fer, a dit le chauffeur en mettant le contact. Vous pensez peut-être que je fais partie du Club des Déménageurs Fous, mais en réalité, j'ai un vrai métier pendant la journée.

(Selon moi, dans le monde à oxygène raréfié de la haute technologie, le sarcasme passe pour de l'humour.)

La mère de Joe et la femme de ménage ont levé leur chiffon en signe d'adieu amical tandis que nous nous éloignions. Le chauffeur s'est tourné vers moi.

— Destination, s'il vous plaît?

— Walbottle Manoir (et vice versa).

— C'est là que j'allais quand j'étais petit, a dit le chauffeur en passant ses doigts noueux dans sa chevelure grisonnante. Ma maîtresse était très gentille, elle s'appelait Mlle Tate.

— Ça colle, lui ai-je dit. On peut faire le tour pour arriver par-derrière?

Il connaissait le chemin. En fait, je pourrais jurer que j'ai vu ses yeux embués cligner d'émotion au moment où nous sommes passés devant le porche de l'école. Il a fait une marche arrière jusqu'à la sortie de secours qui se trouvait près du gymnase.

— Je ne pense pas que l'on puisse ouvrir les portes coupe-feu depuis l'extérieur, lui ai-je dit.

— C'est ce que tu crois, a-t-il fait en

glissant une branche de lunettes dans l'interstice qui séparait les deux battants pour actionner le loquet. J'entrais par là tous les vendredis, après avoir quitté l'école, pour rejoindre la chorale en douce.

(Voilà ce qui arrive lorsqu'on oublie d'installer un bowling et une salle de cinéma dans une ville. Tous les habitants deviennent dingos.)

Il m'a aidé à transporter les maquettes le long du couloir. Nous sommes passés devant le préau où tout le monde se tenait bien gentiment, les yeux fermés pour la prière du matin, et nous les avons déposées dans la classe.

— Ça n'a pas changé d'un poil! a-t-il dit, bouleversé.

— J'en suis sûr.

Et nous avons tout installé. Je ne comprendrai jamais comment Joe réussissait à faire entrer tout ça dans une seule petite chambre. La salle de classe n'était pas complètement encombrée, mais l'énorme tyrannosaure en bouteilles d'eau se penchait dangereusement sur le bureau de Mlle Tate, et le lapin angora de Beth, qu'elle avait apporté comme contribution à la section «toucher et textures», jetait un œil empli d'effroi vers la toile d'araignée en nouilles cuites qui recouvrait tout le mur du fond.

— Splendide, a dit le chauffeur. C'est du travail de pro. (Il s'est permis une petite tape affectueuse sur l'épaule de son modèle préféré: un bébé éléphant en boîtes de conserve.) Et, en plus, c'est du solide. J'ai transporté des systèmes haut de gamme qui tomberont en miettes avant ces machins-là.

— Joe n'utilise que de la colle et de la ficelle.

Il a regardé autour de lui d'un air songeur en soupirant.

— Je ferais mieux d'y aller.

— On n'est pas vendredi, lui ai-je dit pour le consoler. Au moins vous ne regretterez pas de rater la chorale.

Il a hésité un instant sur le seuil de la salle et a jeté un dernier regard sur la classe.

— J'ai passé les jours les plus heureux de ma vie entre ces quatre murs.

Vous voyez ce que je veux dire? Passez un trimestre avec Mlle Tate et vous aurez la cervelle en compote. Et encore, compote limite confiote.

10

*À l'unanimité, après dépouillement
des votes à bulletin secret*

Le chignon de Mlle Tate a tremblé quand elle a frappé dans ses mains. J'ai surveillé l'envol des mites.

— S'il vous plaît, les enfants!

Ses petits élèves chéris se sont assis sagement à leur table, comme des chiens-chiens attendant leur nonos.

— J'espère que vous vous êtes tous remis de cette merveilleuse surprise... a-t-elle dit d'une voix légèrement tremblante en glissant un œil vers le tyrannosaure gigantesque qui penchait d'un air menaçant au-dessus de sa tête, en faisant grincer ses dents de carton. Et que vous avez admiré ces magnifiques maquettes que Joe nous a si gentiment apportées aujourd'hui.

— Je ne les ai pas ap...

J'ai écrasé le pied de Joe pour le faire taire

— Parce qu'il est temps maintenant, a poursuivi Mlle Tate, de remettre les prix.

Elle a ouvert le tiroir de son bureau et en a tiré cinq médailles plutôt rouillées qu'elle avait dû acheter au rabais dans une foire-à-tout du pléisto-cène, à l'époque où elle avait commen-cé à enseigner. (Dès que je les ai vues, je me suis rendu compte que le chauffeur de la camionnette en avait une exactement semblable pendue à son rétroviseur, mais, dans l'excitation du déménagement, je l'avais prise pour une médaille de saint Christophe.)

— Nous commencerons par la fin, comme d'habitude.

Elle a décroché la liste que j'avais punaisée au mur et s'est mise à lire.

— Prix du meilleur manuel pratique !

Croyez-moi si vous voulez, le premier prix a été obtenu par la décoratrice d'œufs durs du premier rang.

— Prix de lecture !

Il aurait dû me revenir logiquement. Je remporte toujours le premier prix de lecture, quelle que soit l'école dans laquelle je me retrouve. Mais j'avais tout foiré cette fois-ci parce que je détestais tellement notre livre de lecture

(Six petits poivriers et comment ils grandirent) que chaque fois qu'elle me faisait lever pour lire à voix haute, je rentrais la tête dans les épaules, traçais des cercles invisibles sur le sol du bout de ma basket afin de m'aider à supporter la gêne, et je marmonnais si doucement qu'elle n'entendait pas le moindre mot.

Je n'ai donc pas eu ce prix cette année-là. J'ai raté mon premier prix habituel !

— Prix d'expression écrite !

Flora, bien entendu. Elle est montée sur l'estrade pour prendre sa médaille ébréchée avec un sourire éclatant, puis elle l'a contemplée un instant, rouillant au creux de sa main, et enfin elle a entamé un de ces horribles discours comme on n'en entend qu'à la télé :

– La première personne que je voudrais remercier aujourd'hui est ma mè...

Mlle Tate l'a interrompue assez sèchement.

– J'espère du fond du cœur que personne ne t'a aidée à rédiger ton texte, Flora. J'avais bien précisé qu'il fallait que ce soit un travail entièrement personnel.

Flora s'est tue, et s'est dirigée, piteuse, vers sa table.

– Prix d'orthographe!

Là, c'était à pile ou face, je l'avoue. En général j'ai aussi le prix d'orthographe. Mais Ben était assez calé dans son genre.

– Ben! a annoncé Mlle Tate. Mais Howard aurait pu l'emporter s'il n'y avait pas eu autant de taches de goulasch hongrois sur son cahier ; certains mots étaient complètement effacés.

Voilà ce qui arrive quand on fait ses devoirs en famille.

— Et, enfin, le dernier prix.

Mlle Tate a fait un grand sourire à Beth en disant ces mots, et Beth lui a souri en retour.

— Prix d'arith...

J'ai toussé.

Elle a fait une deuxième tentative.

— Prix d'arithmét...

J'ai toussé de nouveau, plus fort encore. Elle a baissé les yeux vers sa liste.

— Doux Jésus ! a-t-elle dit. Je savais bien qu'il y avait un prix spécial cette année. Mais j'ai failli oublier qu'il y avait eu un changement de dernière minute.

Elle a lu tout fort les derniers mots de sa liste.

— Prix de la meilleure maquette maison!

Et ce fut comme si elle avait ouvert les portes de l'enfer; un flot de hurlements s'est élevé dans la classe.

— La toile d'araignée! a hurlé Beth.

— Non! Non' Le dinosaure!

— Comment tu peux dire une chose pareille? s'est écrié Ben. Ce bébé éléphant est plus beau que n'importe quoi d'autre.

— Je donnerais tout ce que je possède pour cette adorable roue de la fortune, a dit Flora d'un air songeur.

— Quant à moi, j'ai développé une étrange attirance pour cette araignée, ai-je avoué.

— Est-ce que l'abat-jour en pain sec compte aussi?

— La tour en spaghettis!

— Ce ne sont pas des spa...

J'ai été interrompu par Mlle Tate qui nous a tous dévisagés en fronçant les sourcils.

— Après tout le travail que nous avons fait sur l'Égypte ancienne l'année dernière, j'aurais espéré que l'un de vous apprécierait la beauté de cette Vallée des Rois en papier mâché.

J'avais commis une grave erreur en écrivant Prix de la meilleure maquette et non Prix du meilleur maquettiste ; si bien que la lutte a duré des heures, tandis que Joe demeurait impassible, comme sonné.

À la fin, nous avons opté pour le vote à main levée et c'est le cosmonaute qui l'a emporté de plusieurs longueurs. Joe s'est avancé pour recevoir sa médaille avec un sourire aussi large que celui du tyrannosaure.

— Félicitations, Joe !

Mlle Tate a déposé la vieille médaille déglinguée au creux de sa main. Il l'a contemplée avec émerveillement, comme si ce pauvre rond de métal corrodé avait été un diamant de dix-huit carats. Puis, en refermant ses doigts autour de son trésor, il a baissé les paupières pour cacher son émotion et s'est jeté contre Mlle Tate pour l'embrasser.

— Joe ! Ne fais pas le bête ! a-t-elle dit. (Mais elle était visiblement ravie.) Je savais bien que tu avais des talents cachés. Et maintenant que je les connais, je viendrai systématiquement te demander de l'aide quand j'aurai besoin de maquettes pour expliquer les problèmes de mathématiques.

Je lui ai donné un coup de coude

quand il est revenu s'asseoir près de moi.

— Tu vois? lui ai-je glissé à l'oreille. Les choses s'arrangent déjà. Si tu passes ton temps à lui fabriquer des pyramides, des cônes et des tétragones, elle aura du mal à te coincer pour te contraindre, sous la torture, à y comprendre quelque chose.

Son sourire s'est encore élargi.

À présent Mlle Tate remettait gentiment ses mites en place en tapotant son chignon.

— Je crois qu'il est temps de laisser entrer nos visiteurs pour la journée portes ouvertes.

Sa main était déjà sur la poignée de la porte, lorsque Joe lui a rafraîchi la mémoire.

— Mais, mademoiselle Tate, je croyais que vous aviez parlé d'un prix spécial!

Elle s'est retournée.

— Oups! J'ai failli oublier!

Elle a tiré une nouvelle médaille de son tiroir.

— Et maintenant, a-t-elle dit, à l'unanimité, après dépouillement des votes à bulletin secret, je vous demande d'applaudir notre prix spécial, décerné à l'élève le plus dévoué de la classe, celui qui a prouvé que l'entraide n'était pas un vain mot!

Ses yeux se sont braqués sur moi.

J'aurais parié n'importe quoi sur Beth, ce coup-ci, j'ai donc attendu qu'elle se lève.

J'ai attendu.

Attendu.

Et, finalement, Mlle Tate a dit:

— Eh bien, tu ne veux pas venir chercher ta médaille?

— Moi ?

— Est-ce que je regarde quelqu'un d'autre ?

Bêtement (si l'on considère que Joe et moi étions assis au dernier rang), j'ai tourné la tête pour regarder derrière moi.

— C'est de toi que je parle, a-t-elle dit.

— Moi ? ai-je répété. L'élève le plus dévoué de la classe, celui qui a montré que l'entraide et tout et tout ? Moi ?

— Je t'avoue que j'ai été assez surprise moi-même, a-t-elle fait. Mais c'était un vote à bulletin secret et tous les papiers que j'ai dépouillés, sauf un, portaient ton nom.

Je les ai regardés, les uns après les autres, mes braves petites têtes d'andouille. Ils étaient tous assis, sages comme des images, me dévisageant d'un regard innocent et joyeux. Légèrement méfiant, je me suis dirigé vers l'estrade. Mais la médaille que Mlle Tate a déposée dans ma main n'a pas explosé, ne s'est pas transformée en boule de poil à gratter, n'a pas fait jaillir dans mes yeux un mince filet d'eau.

Pas d'anguille sous roche.

C'était un vrai prix. Sans blague. Un vrai prix.

Ne croyez pas que je n'aie pas l'habitude d'en recevoir, parce que c'est faux. En son temps, Chester Howard a remporté des premiers prix dans le monde entier, prix de lecture, d'orthographe, et même, un jour, prix de la plus belle comptine en arménien. (Ça c'était vraiment un hasard.) Mais je n'avais encore jamais remporté de prix

dans ce genre-là : élève le plus po-
pulaire, prix de solidarité, de cama-
raderie, rien de tous ces trucs qui
récompensent la personnalité.

J'ai contemplé la médaille. « Prix de
l'entraide ». Franchement, j'ai été dans
des écoles où le prix de l'entraide serait
revenu d'office au seul type de l'école
qui ne crachait pas tous les soirs sur ton
cahier, ne foutait pas le feu à tes tennis,
ou ne te battait pas comme plâtre. À
l'école élémentaire de Spike City, il
aurait sans doute été décerné à celui qui
te lançait tes béquilles à hauteur de bras
(pour te laisser une chance de les rat-
traper) plutôt qu'en pleine tête, ou à
celui qui t'aidait à enterrer le plus grand
nombre de cadavres.

Mais là !

Là, au Walbottle Manoir (et vice

versa), c'était comme remporter l'or au jeux Olympiques. Ces types n'étaient pas des pêcheurs invétérés. Ils étaient bons. Ils étaient gentils. Ils étaient généreux. Et assez champions de l'entraide dans leur genre.

Je n'ai pas pu m'en empêcher. Je savais que je marchais sur les plates-bandes de Beth, mais les mots sont sortis tout seuls.

— Je suis très touché.

Mlle Tate m'a tapé gentiment sur l'épaule et je suis retourné m'asseoir à ma place. En traversant la salle, j'ai remarqué que sur chaque pupitre se trouvait une maquette en miniature, dans le plus pur style Joe Gardener. Des robots, des épouvantails, des fusées, etc.

— Tu m'as acheté des votes, ou

quoi? lui ai-je demandé d'un ton soup-
çonneux en arrivant à sa hauteur.

— Pourquoi j'aurais fait ça? Je ne
savais même pas que tu m'avais fabriqué cet «Agenda personnalisé pour
la survie en milieu scolaire jusqu'à
expiration du temps réglementaire».

J'étais assez désorienté.

— Comment tu as deviné ce que je
faisais? J'ai gardé le secret jusqu'au bout
et je ne l'ai même pas installé dans les
vitrines d'exposition.

Il s'est tapoté le bout du nez d'un air
rusé. Puis il a soulevé le couvercle de
son bureau et, après avoir fouillé
quelques secondes dans sa case, en a
sorti l'écran protecteur qu'il a installé
entre nous. Juste au moment où je
pensais qu'il avait fini de le mettre en
place, il a soulevé un rabat dissimulé sur

le côté, puis un autre, avant de faire glisser une série de panneaux ronds et brillants.

— Des miroirs !

— À effet de périscope latéral.

— Malin !

— Ça a bien marché.

(Si j'étais fauché, je vendrais ce mec aux services secrets.)

J'ai sorti mon manuel pratique de ma case.

— Je n'ai plus aucune raison de le cacher ?

— Non, vraiment, plus aucune.

Je le lui ai tendu.

— J'espère que ça t'aidera, Joe.

Il l'a pris et l'a examiné, comme il avait examiné la médaille au creux de sa main. Il l'a ouvert, puis il a tourné les pages, une à une. J'ai eu soudain la vision extatique de tous ces petits carrés que j'avais passé des heures à compter, à mesurer et à dessiner, se remplissant peu à peu de couleurs vives, s'étalant gaiement sur chaque page d'un bout à l'autre du cahier.

Au dos, sur la couverture, j'avais écrit en lettres capitales :

ET MAINTENANT SENS-TOI LIBRE
DE FAIRE
CE POUR QUOI TU ES VRAIMENT DOUÉ,
TOUTE LA JOURNÉE !

(Depuis le départ, j'avais décidé d'écrire ces mots magiques « Ce pour quoi tu es vraiment doué » quelque part dans le cahier.)

Il avait l'air si heureux.

— Je ne suis même pas obligé d'utiliser un feutre pour remplir les cases, a-t-il dit d'un air songeur. Je pourrai mettre un point de colle dans la case et la recouvrir de paillettes, ou de feuilles mortes, ou encore...

— Je vois que l'ambiance dépotoir n'a pas fini de régner dans le coin.

Mais il n'écoutait pas. Il avait levé la tête pour voir le flot de parents envahir la salle.

— Maman ! Papa ! Vite ! Venez voir !

Ils n'avaient pas encore atteint le milieu de la classe qu'il braillait déjà :

— Maman ! J'ai remporté un prix ! Un vrai prix ! Regarde, c'est une médaille !

J'ai cru que sa mère allait exploser de fierté. M. Gardener a pris la médaille de la main de son fils et l'a inspectée avec déférence.

— Ton arrière-grand-mère avait

reçu exactement la même, dans le temps!

Depuis combien de siècles, au juste, Mlle Tate était-elle dans l'enseignement? Une dizaine?

À présent, Joe montrait à ses parents le petit manuel que j'avais fabriqué à son intention.

— Et regardez ce que Howard m'a donné, pour m'aider à garder le moral!

Je me suis éclipsé avant que les Gardener se jettent sur moi pour m'embrasser. Je savais que mes parents ne viendraient pas, parce que, depuis le début du trimestre, j'avais remarqué que les petites notes d'information envoyées par l'école étaient toutes adressées à M. et Mme Chester (qui c'est ceux-là?) et je m'étais senti en droit de les balancer directement à la poubelle.

Je n'avais qu'à moitié tort. En fait, mon père avait cru entendre parler d'une journée portes ouvertes à l'école, alors qu'il faisait la queue à l'épicerie fine, mais, ne pouvant laisser son mille-feuilles trop longtemps dans le four, il n'avait pu tirer la chose au clair. Quant à ma mère, elle en avait été informée par le chauffeur de la camionnette qui avait vendu la mèche dans le but de pouvoir rentrer chez lui plus tôt. Mais, lorsqu'elle avait dit à la gardienne de l'école qu'elle s'appelait Mme Howard, on l'avait orientée vers une autre classe que la mienne et elle avait été ravie de tous les travaux qu'elle y avait dé-couverts.

— Tu n'as pas remarqué que je n'étais pas là ? lui ai-je demandé.

— Bien sûr que j'ai remarqué. Mais

j'ai pensé que tu devais être gêné à cause de ce texte magnifique que tu avais écrit.

— Quel texte magnifique?

— *Mon livre préféré : Six petits poivriers et comment ils grandirent.*

Malgré mes habiles stratagèmes, je n'ai quand même pas réussi à m'en sortir sans y laisser quelques plumes. Le chauffeur de la camionnette avait repéré ma classe sans trop de difficultés et il s'était absorbé dans mes devoirs.

— Excellent, Chester, disait-il en feuilletant mes cahiers. Tu as vraiment fait un bel effort ; et je m'y connais. Ça, c'est pas trop mal non plus. Oui, je vois que tu t'es bien appliqué.

Ensuite, il est allé voir Mlle Tate pour lui raconter tout ce qu'il avait fait pendant les cent dernières années et lui dire qu'il trouvait que, malgré mes points faibles en divisions, je m'en sortais très bien dans l'ensemble.

— Oui, c'est vrai, a dit **Mlle Tate**. Mais je dois admettre que j'ai été très déçue par son manuel pratique.

— Absolument, je suis d'accord. Je trouve qu'il a vraiment pris trop de libertés avec l'esprit de ce projet.

— C'est même assez vilain, en fait.

— Enfin, peu importe. Pour le reste, il semble vraiment au niveau.

— Oui, bien sûr, a dit Mlle Tate. Nous sommes tous très fiers de Howard.

À cet instant, le chauffeur a eu l'air légèrement désorienté.

— Je vous parlais de Chester.

— Chester?

Mlle Tate a eu l'air profondément

embarrassé. Mais, plutôt que de faire sombrer dans l'angoisse la dame qui lui avait fait vivre les jours les plus heureux de sa vie, le chauffeur n'a rien ajouté et s'en est allé. J'aurais pu rester pour expliquer le malentendu, mais Flora avait besoin d'aide pour transporter sa roue de la fortune jusqu'à la camionnette. Dans l'escalier, je lui ai posé la question qui me trottait dans la tête depuis le début de l'après-midi.

— Est-ce que Joe t'a offert une maquette pour que tu votes pour moi?

Elle m'a regardé calmement dans les yeux, par-dessus la Flèche de la Chance qui pointait vers le ciel.

— Non.

— Il t'a quand même donné une maquette, non?

— Oui.

— Et tu as voté pour moi?

— Oui.

— Parce qu'il te l'a demandé?

— Non, a-t-elle dit.

Et, ensuite, parce qu'elle voyait que je ne la croyais pas à cent pour cent, elle a ajouté:

— Mais peut-être parce qu'il m'a raconté tout ce que tu avais fait pour l'aider.

J'y ai réfléchi tandis qu'elle était allée voir le chauffeur pour lui demander si ça ne l'embêtait pas trop de passer par chez elle, après avoir déposé toutes les maquettes chez Joe, pour y apporter sa roue de la fortune et prendre tout ce qu'elle possédait, en échange, afin de le déposer chez les Gardener. J'ai décidé, à ce moment, que si Joe avait pris la peine d'aller expliquer à tous les élèves, un par un, ce que j'avais fait pour lui, cela signifiait sans doute que je l'avais aidé pour de bon. Je méritais vraiment mon prix d'entraide.

J'imagine qu'il faudra peut-être un jour que je dise à Mlle Tate comment je m'appelle en vérité, si on finit par rester un temps dans ce trou paumé.

Mais en fait je ne le ferai peut-être pas. Howard sonne mieux que Chester, après tout.

Et, quand on y pense, Howard est plus *heureux*.